La flûte enchantée

Pour Janet, Alan, Colin et Ross, qui savent depuis longtemps à quel point la musique est magique.
Et avec des remerciements tout particuliers au Dr Jack Hrkach.

Titre original : *Moonlight on the Magic Flûte*

Coordination éditoriale : Céline Potard.
Réalisation de la maquette : Karine Benoit.
Illustration de couverture et illustrations intérieures : Philippe Masson.
Colorisation de la couverture, illustrations de l'arbre, de la cabane et de l'échelle : Paul Siraudeau.

Loi n° 49-956 du 16 juillet 1949 sur les publications destinées à la jeunesse.
Dépôt légal : juillet 2010 – ISBN 13 : 978-2-7470-3060-1
Imprimé en Allemagne par CPI – Clausen & Bosse

La Cabane Magique

La flûte enchantée

Mary Pope Osborne

Traduit et adapté de l'américain
par Marie-Hélène Delval

Illustré par Philippe Masson

bayard jeunesse

Léa

Prénom : Léa

Âge : sept ans

Domicile : près du bois de Belleville

Caractère : espiègle et curieuse

Signes particuliers : ne manque jamais une occasion d'entraîner son frère Tom dans des aventures mouvementées, sans se soucier du danger.

Prénom : Tom

Âge : neuf ans

Domicile : près du bois de Belleville

Caractère : studieux et sérieux

Signes particuliers : aime beaucoup les livres, qui l'aident à se sortir de situations périlleuses.

Les trente-cinq premiers voyages de Tom et Léa

Tom et Léa ont découvert dans le bois de Belleville, perchée en haut d'un chêne, une cabane pleine de livres. C'est une

cabane magique !

Elle appartient à la fée Morgane, une magicienne et une célèbre bibliothécaire qui voyage à travers le temps et l'espace pour rassembler des livres.

Nos deux jeunes héros ont déjà vécu des **aventures extraordinaires** ! Il leur suffit d'ouvrir un livre, de poser le doigt sur une image en souhaitant se trouver à l'endroit représenté, et ils y sont aussitôt transportés !

★

Dans le dernier tome,

souviens-toi :

Morgane a envoyé Tom et Léa en Antarctique. L'empereur des manchots leur a confié un bébé manchot orphelin. Ils l'ont emmené à Camelot. Grâce au petit animal, Merlin a enfin retrouvé le goût de vivre. Les enfants ont compris que le quatrième et dernier secret du bonheur était : « Prendre soin de quelqu'un… »

★

Nouvelle mission
Tom et Léa
partent
à Vienne
pour trouver
un artiste
de grand talent !

Sauront-ils éviter tous les dangers ?

★ ★ ★ ★ ★ ★

Lis vite

ce nouveau « Cabane Magique »
et aide nos deux héros à déchiffrer
les consignes que leur a laissées Merlin !

*Prêt à suivre Tom et Léa
dans leurs dangereuses aventures ?*

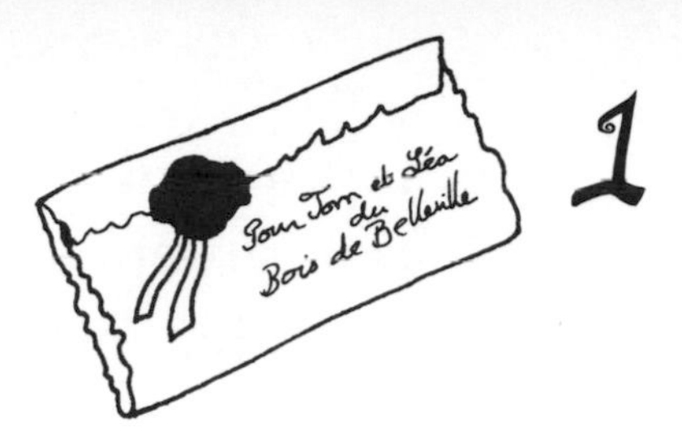

1

Le palais d'été

Assis devant l'ordinateur, Tom cherche des documents pour la classe : il prépare un exposé sur les pingouins. Une bonne odeur de sauce tomate en train de mijoter lui chatouille les narines.

À cet instant, Léa surgit :

– Tom ! Ils sont de retour !

– Qui ? Teddy et Kathleen ?

Sa sœur acquiesce, les yeux brillants.

À cette nouvelle, Tom saute joyeusement de sa chaise.

Il se précipite dans l'entrée, décroche son blouson, attrape son sac à dos :

– Papa ! Maman ! On sort un petit moment !

La voix de sa mère lui parvient de la cuisine :

– D'accord, mais le dîner est presque prêt. Soyez là dans un quart d'heure.

– On sera rentrés ! promet Léa.

Les enfants franchissent la porte et hument l'air frais du printemps.

– Alors, tu les as vus ? demande Tom.

– Oui, près du bois. Je revenais de ma leçon de piano. Ils m'ont fait signe quand je suis passée à vélo.

– Tu ne t'es pas arrêtée pour leur parler ?

– Non. J'ai montré la maison afin qu'ils comprennent que j'allais te prévenir d'abord.

– C'est gentil. Dépêchons-nous, ils doivent nous attendre à la cabane magique.

Tout en courant, Tom et Léa discutent :

– Ils viennent nous confier une nouvelle mission.

– C'est sûr ! Où va-t-on aller, cette fois ?

– On verra !

Les voilà sur le sentier du bois. Les rayons du soleil dessinent des ronds de lumière sur le sol.

Arrivés devant le plus grand chêne, les enfants lèvent la tête.

La cabane est bien là ! Les deux magiciens de Camelot sont penchés à la fenêtre.

– Bonjour vous deux ! lancent-ils ensemble.

– Bonjour ! répondent d'une seule voix le frère et la sœur.

L'un derrière l'autre, ils empoignent l'échelle de corde et grimpent dans la cabane.

Les quatre amis s'embrassent.

– Comment va Pirlouit ? s'enquiert Tom.

Le bébé manchot qu'ils ont ramené à Merlin de leur dernier voyage lui a bien manqué.

– Pirlouit et Merlin ne se quittent plus, dit Kathleen. Cette petite bête a rendu la joie de vivre à notre vieil ami.

– Tant mieux, se réjouit Tom.

Ça ne l'étonne pas. Pirlouit est si gentil et si drôle !

Mais Léa trépigne d'impatience :

– Alors, où nous envoyez-vous, cette fois ?

Kathleen prend la parole :

– À la demande de Morgane, vous êtes partis en quête des secrets du bonheur afin de tirer Merlin de sa tristesse. À présent, c'est lui qui vous envoie en mission. Il souhaite apporter ce même bonheur à des millions de gens, et il compte sur votre aide.

– Waouh ! souffle Tom, impressionné. C'est un gros travail ! Comment on va faire ?

Teddy et Kathleen éclatent de rire.

– C'est simple, intervient le jeune enchanteur. Vous devrez rencontrer un artiste de grand talent.

– Un peintre ? suppose Léa.

– Peut-être. Peut-être pas. Quelqu'un qui utilise sa passion et son imagination pour créer de la beauté.

Kathleen ajoute :

– Il faudra guider cet artiste sur le bon chemin, afin qu'il fasse profiter le monde entier de son talent.

– Super ! s'écrie Léa. Où le trouvera-t-on ?

La Selkie sort une jolie enveloppe couleur crème de sa poche. Elle est fermée par un cachet de cire rouge et indique en élégants caractères :

Pour Tom et Léa du bois de Belleville.

– C'est une invitation royale, souligne Kathleen.

Tom la prend doucement et brise délicatement le sceau. À l'intérieur, il découvre une carte aux bords décorés.

Il lit le texte, écrit en lettres d'or :

Vous êtes invités à la fête
Qui aura lieu au Palais d'Été
Le 13 octobre 1762
À partir de trois heures.

– Une fête ! Un palais ! se réjouit Léa.

– Oui, confirme Teddy. Le château en question se trouve à Vienne, en Autriche. C'est l'un des plus splendides au monde.

– Ça va être amusant !

– Certainement, approuve Kathleen. Mais attention ! Surtout, pas de mauvaises manières ! Comportez-vous avec distinction. Et méfiez-vous des dangers.

– Quels dangers ? demande Tom.

– Je l'ignore. D'après Merlin, il vous faudra l'aide de la magie. Vous avez la baguette de Dianthus ?

– Oui, oui.

Le garçon prend le bel objet en forme de corne de licorne dans son sac. Il le tend à Kathleen. La Selkie l'agite en l'air.

Dans un tourbillon de lumière, la baguette se transforme en une magnifique flûte argentée.

– Oooooh ! lâche Léa.

– Une flûte ? s'étonne Tom.

– Elle est magique ! précise Teddy. Les notes tirées de cet instrument vous protégeront.

– Mais..., objecte Léa. On ne sait pas comment s'en servir. Moi, je prends des cours de piano...

Kathleen la rassure :

– Ne t'inquiète pas. Au moment voulu, l'instrument jouera tout seul.

– Il suffit que l'un de vous souffle dans le bec, ajoute Teddy. Pendant ce temps, l'autre devra chanter. N'importe quelle chanson.

– C'est rigolo !

– Seulement, dès la chanson finie, la magie cessera. Et la flûte ne peut être utilisée qu'une fois. Aussi, choisissez bien le moment !

– J'ai compris. On y va ?

– Euh…, attendez une minute, tempère Tom. Un carton d'invitation, une flûte magique… C'est tout ? On n'a même pas de livre cette fois ?

– Pour cette mission, dit Teddy, Merlin désire que vous utilisiez uniquement votre intelligence et votre habileté.

– Euh…, d'accord, balbutie le garçon, pas très sûr d'être si habile que ça.

Kathleen explique :

– La cabane vous emmènera grâce à l'invitation.

Léa pose son doigt sur les mots *Palais d'Été*. Avant de prononcer la formule, elle s'adresse aux jeunes enchanteurs :

– J'espère qu'on se reverra bientôt. Quand vous serez de retour à Camelot, saluez Merlin et Morgane de notre part !

– Et Pirlouit !

– Nous n'y manquerons pas, leur assure Teddy.

Léa prend une grande inspiration avant de clamer :

– Nous souhaitons nous rendre ici !

Aussitôt, le vent se met à souffler, la cabane à tourner.

Elle tourne plus vite, de plus en plus vite.

Elle tourbillonne comme une toupie folle.

Puis tout s'arrête, tout se tait.

2

Mets ta perruque !

Comme à chacun de leurs voyages magiques, les habits de Tom et de Léa se sont transformés.

Le blouson du garçon est à présent une longue veste de velours bleu, et son jean est devenu un pantalon court resserré sous le genou sur des bas blancs. Quant à ses chaussures noires, elles sont ornées d'une boucle en argent.

Quand il regarde sa sœur, il éclate de rire : de grosses anglaises tirebouchonnées encadrent le visage de la petite fille.

Elle est vêtue d'une ample robe rose surchargée de rubans et de dentelles.

– Qu'est-ce qu'il y a donc là-dessous ? grogne-t-elle en soulevant trois épaisseurs de jupons.

Des espèces de cerceaux élargissent la jupe de chaque côté de ses hanches.

– Tu t'es habillée avec un panier d'osier ? se moque son frère.

– Et toi, qu'est-ce que tu as sur la tête ? Tu ressembles à une grand-mère.

Tom ôte son chapeau noir. Quelque chose d'autre lui couvre le crâne. Il tâte de la main. Ce sont de faux cheveux, avec des rouleaux sur le côté et une queue derrière, attachée par un catogan[1].

– Une perruque ?

Son nez le picote. Il éternue violemment, et un nuage blanc s'élève autour de lui :

– Elle est couverte de poudre ! Je ne peux pas porter ça !

1. Catogan : ruban qui attache les cheveux sur la nuque.

– Moi, je dois bien porter ça ! réplique Léa en tapotant son encombrante jupe.

N'oublie pas : on est invités à une fête, dans un palais, à une époque d'autrefois !

– Oui, mais il est où, ce fameux palais ? grommelle Tom.

Tous deux vont se pencher à la fenêtre. La cabane magique s'est posée à la cime d'un arbre, dans une rue pavée. Au bout de la rue, une calèche stationne devant une haute grille en fer forgé.

Léa désigne le portail :

– Il faut sans doute entrer par là.

– Tu as peut-être raison. J'aurais aimé avoir un livre pour nous renseigner, comme d'habitude.

– Cette fois, Merlin veut qu'on utilise uniquement notre intelligence et notre habileté. C'est ce que Teddy a déclaré.

– Oui, soupire Tom. Reste à savoir ce qui nous attend…

Dans le lointain, une cloche sonne. Léa compte trois coups :

– À quelle heure commence la fête ?

Tom jette un coup d'œil sur le carton d'invitation :

– À trois heures.

– Oh, là, là ! On va être en retard ! Vite ! Recoiffe-toi !

Tom enfonce la perruque sur son crâne, remet son chapeau en place. Il fourre vivement la flûte et le carton d'invitation dans une des vastes poches de sa veste.

Léa soulève son imposante jupe et se penche au-dessus de la trappe :

– Ça ne va pas être facile de descendre par l'échelle de corde avec ce bazar !

– Sois prudente, lui recommande son frère. Va lentement !

– Mais il faut se dépêcher !

La fillette s'engage sur les échelons.

À mi-hauteur, elle saute à terre.

Tom s'élance aussitôt derrière elle :

– Tu as réussi ?

Léa secoue ses jupons :

– Oui, oui ! Il y a juste quelques feuilles dans mes dentelles !

Montrant le véhicule garé le long des grilles, elle décide :

– Regarde le cocher, là-bas. On va lui demander le chemin ! Allez, viens !

Elle part en courant, et sa jupe se balance autour de ses hanches comme une grosse cloche rose.

– Attends ! lui crie Tom. Discutons d'abord de ce qu'on va faire !

– Ce n'est pas bien compliqué ! On doit rencontrer un…

– Un artiste de grand talent, oui, je sais. Mais comment le reconnaître ?

– On verra sur place. Rendons-nous à la fête !

Les enfants ralentissent près de la grille.

Léa s'approche du cocher, assis sur le siège d'une magnifique calèche tirée par deux chevaux blancs :

– S'il vous plaît, monsieur ! Pouvez-vous nous aidez ? Nous cherchons le Palais d'Été.

Tom brandit l'invitation. L'homme hoche la tête :

– Ah, vous êtes des hôtes de la famille impériale ? Où est votre voiture ?

– Euh… Notre cocher nous a déposés au coin de la rue.

– Vous êtes descendus trop tôt, reprend l'homme. C'est encore loin. J'ai conduit mes maîtres jusqu'au palais. À présent, j'attends la fin des festivités ici. J'ai le temps de vous emmener. De jeunes nobles tels que vous ne peuvent pas arriver à pied !

– Oh, merci ! s'écrie Léa.

Tom redresse les épaules et s'efforce de se tenir noblement.

Le cocher saute à terre :

– Je me nomme Joseph. Permettez-moi de vous aider, Mademoiselle.

Il tend la main à Léa, qui grimpe et s'installe sur une banquette en cuir garnie de coussins. Tom s'assied à côté d'elle. Puis l'aimable Joseph regagne son siège et secoue les rênes. Les chevaux blancs s'ébranlent. Des gardes ouvrent les battants du portail.

Léa murmure, ravie :

– J'ai l'impression d'être Cendrillon en route pour le bal !

La calèche cahote sur les pavés d'une gigantesque place. Des moines en robe brune flânent autour d'un large bassin.

Des soldats en uniforme passent à cheval. Tout au fond s'élève un imposant bâtiment aux murs jaunes. Des rangées de fenêtres étincellent au soleil.

Léa se retourne et s'adresse au cocher :

– C'est le Palais d'Été ?

– Oui. Il est magnifique, n'est-ce pas ? Derrière, il y a un parc immense, avec de beaux parterres de fleurs, des vergers, des fontaines et même un zoo !

– Un zoo ? répète Tom, très intéressé.

À cet instant, une voix jeune et joyeuse interpelle les enfants :

– Coucou !

Un petit garçon portant une perruque poudrée les regarde par la vitre d'un carrosse bleu et or. Il pointe sur Tom un doigt moqueur :

– Ta perruque est de travers !

Il n'a pas le temps d'en dire plus. Une main le tire en arrière, et le véhicule bleu s'éloigne à grand bruit.

– Quoi ? marmonne Tom. Ma perruque est de travers ?

– Un peu.

Sa sœur lui ôte son chapeau, rajuste la perruque et se laisse retomber sur les coussins.

Joseph arrête son attelage au bas d'un escalier menant à une terrasse. Puis il aide Tom et Léa à descendre :

– Je devine que c'est votre première visite ici. À l'entrée, montrez votre invitation au majordome. Il vous introduira dans l'antichambre, où vous attendrez d'être présentés.

– Présentés à qui ? s'inquiète Tom.

– À Sa Majesté impériale Marie-Thérèse, archiduchesse d'Autriche, reine de Hongrie et de Bohême, impératrice du Saint Empire romain germanique.

– Waouh ! lâche Léa.

« Au secours ! », pense son frère, paniqué.

3

Sa Majesté impériale

– Merci de votre aide, Joseph, dit Léa en descendant de la calèche.

– Oui, merci beaucoup, renchérit Tom.

– À votre service ! J'espère que la fête vous plaira.

Tandis que le cocher secoue les rênes, la fillette admire la façade du palais :

– On a vraiment de la chance, soupire-t-elle, ravie.

De la chance ? Son frère n'en est pas sûr. Et, d'abord, comment se comporte-t-on devant une archiduchesse, impératrice

et reine d'il ne sait plus où ? À l'idée d'être présenté à Sa Majesté impériale, il a déjà les mains moites :

– Qu'est-ce qu'on fera ? Qu'est-ce qu'on dira ?

Léa hausse les épaules :

– Ce n'est pas compliqué. On observera les autres et on les imitera.

Les invités se pressent sur le grand escalier. On ne voit partout que satin, soie, velours, dentelles, bijoux étincelants.

Les femmes sont vêtues d'encombrantes robes à paniers au corsage très décolleté. Les hommes portent des perruques, dont les boucles blanches retombent sur le col de leurs longues vestes.

Les enfants se mêlent à la foule.

– Oh ! lâche soudain Tom.

– Quoi ?

– Là ! Le gamin qui s'est moqué de moi tout à l'heure !

Le petit garçon est en haut des escaliers, en habit lilas brodé d'or, une courte épée au côté. À cet instant, il aperçoit Tom et Léa. Un sourire illumine son visage aux bonnes joues rondes, et il agite la main.

– Il est mignon, s'attendrit la fillette.

– Il est ridicule, oui, grommelle son frère. Tu as vu son épée ? Il n'a pas plus de cinq ans ! Et il s'est moqué de moi ! Au fait, ça va, ma perruque ?

Sa sœur pouffe :

– Elle est encore de travers, et tes oreilles dépassent. Attends !

Le frère et la sœur s'arrêtent au milieu des marches. Léa saisit la perruque à deux mains et tire dessus un bon coup.

– Avancez, les enfants, les houspille une femme.

Léa soulève sa jupe, Tom rajuste son chapeau, et ils s'élancent dans l'escalier. Arrivé en haut, Tom présente l'invitation.

– Dirigez-vous vers le Grand Salon rose, leur indique le garde en uniforme rouge.

Les invités se pressent dans le vestibule illuminé par des centaines de bougies. De partout montent le brouhaha des conversations et le froufrou des étoffes.

Une jeune fille en robe blanche décorée de fleurs patiente sur le côté. Tom lui fait signe de passer. Elle refuse de la tête.

– Merci, j'attends mon frère, explique-t-elle en souriant.

La file avance lentement. Tom se dévisse le cou pour scruter l'intérieur du Grand Salon rose. Il ne voit pas l'impératrice, mais découvre des murs blancs, des dorures, des sièges tapissés de velours pourpre.

Tom et Léa sont presque devant la porte. Cette fois, Tom aperçoit Sa Majesté impériale, une grande femme corpulente vêtue d'une robe de soie bleue.

À la surprise du garçon, elle tient sur ses genoux le gamin à l'épée ! Une dizaine d'autres enfants et de jeunes gens sont alignés autour d'elle.

– Qui sont-ils ? chuchote Tom à sa sœur.

Léa hausse les épaules ; elle n'en sait pas plus que lui.

Une voix les renseigne alors :

– Ce sont les enfants de Sa Majesté impériale.

La jolie jeune fille à la robe blanche les a rattrapés.

– Ah, merci beaucoup ! lui dit Léa.

Tom chuchote de nouveau :

– Ils n'ont pas l'air aimables, les enfants impériaux ! Le seul qui sourit, c'est le petit garçon à l'épée.

– Ça n'est pas drôle, pour eux, d'être obligés de rester là, debout, à regarder tous ces gens défiler un à un devant leur mère, les excuse Léa.

Mais c'est bientôt leur tour.

– Comment doit-on faire pour saluer Sa Majesté impériale ? s'affole Tom.

– Oh ! Je ne sais pas ! J'ai complétement oublié d'observer les autres !

Léa se tourne vers la jeune fille :

– Euh… pardon ! Comment parle-t-on à l'impératrice ?

– Vous entrez et vous annoncez vos noms. Vous avancez jusqu'au milieu de la salle. Vous, Mademoiselle, vous faites la révérence ; votre frère s'incline. Puis vous

avancez encore, vous vous arrêtez devant Sa Majesté impériale et vous recommencez.

– Bon, c'est facile.

La jeune fille ajoute en s'adressant à Tom :

– Oh, surtout n'oubliez pas ! Après votre deuxième salut, ne relevez pas la tête avant que sa Majesté impériale ne vous ait ordonné de le faire. Ne la regardez même pas ! Ensuite, vous sortirez tous les deux à reculons.

– À reculons ?

– Oui. Il ne faut jamais tourner le dos à Sa Majesté impériale !

Tom remercie la jeune fille. Heureusement qu'elle les a prévenus !

C'est à eux ! Ils franchissent la porte.

– Léa du Bois de Belleville, se présente la petite fille.

– Tom du Bois de Belleville, ajoute son frère.

Ils gagnent à pas lents le milieu de la pièce.

Sa Majesté impériale les fixe. Le gamin à l'épée agite la main.

Léa s'applique à réussir une gracieuse révérence, Tom s'incline bien bas. Puis tous deux s'approchent et s'arrêtent devant l'impératrice. C'est vraiment une grosse dame ! Elle a un grand front, un double menton.

Tom oublie qu'il ne faut pas la regarder. Il lui sourit. Le visage poudré de l'impératrice reste de marbre.

Deuxième révérence, deuxième salut. Tom se souvient alors qu'il doit attendre avant de se relever. Donc, il attend, fixant les boucles de ses chaussures. Rien ne se passe.

« Je ne salue peut-être pas assez bas », pense-t-il.

Il s'incline un peu plus. Horreur !

La flûte glisse de sa poche et rebondit sur le plancher à grand bruit. Tom se penche vite pour la ramasser, son chapeau tombe.

Les enfants impériaux pouffent.

L'instrument dans une main, Tom rattrape son chapeau de l'autre. Sa perruque se met de travers et de la poudre lui chatouille le nez. Il éternue violemment ; il perd l'équilibre, dérape sur le plancher ciré, se rétablit de justesse.

Redressant sa perruque, la flûte et le chapeau serrés contre sa poitrine, le garçon reprend la pause, tête courbée. Et Sa Majesté impériale qui ne lui permet toujours pas de se relever !

Il entend alors les rires des enfants impériaux. Et celui de l'impératrice ! Tom ne sait plus quoi faire.

Les joues rouges de honte, il pense : « Elle n'arrive pas à parler parce qu'elle rit trop. Il faut qu'on sorte d'ici ! »

Toujours incliné, il commence à reculer. Son derrière heurte un mur. Les enfants impériaux s'esclaffent. Du coin de l'œil, Tom voit Léa ; elle l'observe en gloussant sur le seuil d'une porte.

Il repart à reculons.

Sa sœur l'agrippe alors par les basques[1] de son habit et le tire hors de la salle.

Les enfants impériaux applaudissent sa sortie.

1. Basque : partie d'une veste qui part de la taille et descend sur les hanches.

Le garçon entend une fille demander :

– C'est qui, ce bouffon[2] ?

– Il a dit qu'il s'appelait Tom du bois de Belleville, lui rappelle le gamin à l'épée.

Et tous de s'esclaffer encore plus fort.

2. Autrefois, le bouffon était un personnage de théâtre chargé de faire rire.

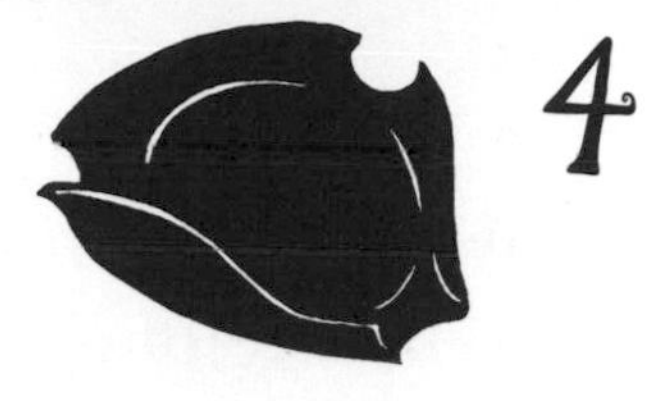

4

Tom du bois de Belleville

Léa hoquette, pliée en deux de rire :

– Qu'est-ce… qu'est-ce qui t'est arrivé ? Après ma deuxième révérence, je suis sortie de la salle. Quand j'ai regardé derrière moi, tu étais toujours incliné.

– Elle ne m'avait pas dit de me relever.

– Si, elle l'avait dit, espèce d'idiot !

– Eh bien, je n'ai pas entendu, grogne le garçon.

Il s'éloigne à grands pas, vexé. Il traverse plusieurs salons richement décorés. Au bout d'un moment, il ne sait plus où il est.

« Toutes ces pièces se ressemblent, constate-t-il, de très mauvaise humeur. Ces sièges de velours, ces dorures sur les murs, c'est n'importe quoi ! »

– Tom, attends-moi !

Sa sœur court, mais il ne se retourne pas, il est trop furieux.

Finalement, il arrive devant une porte ouvrant sur l'extérieur. Il la pousse et se retrouve sur une longue terrasse dallée de marbre, à l'arrière du palais.

Le soleil répand sa lumière dorée sur un parc immense.

L'air est un peu frais, et Tom frissonne. Il respire profondément, tâchant de se calmer.

Il n'a qu'une envie : retourner à la cabane magique et rentrer à la maison !

Léa vient se glisser à côté de lui :

– Désolée de t'avoir traité d'idiot. Ça va ?

– Non, ça ne va pas, grommelle son frère. J'ai été ridicule. La flûte est tombée de ma poche, mon chapeau a glissé, ma perruque s'est mise de travers, j'ai éternué à cause de la poudre ; du coup, j'ai perdu l'équilibre… Viens, on s'en va ! On n'a qu'à passer par les jardins.

– On ne peut pas partir maintenant, proteste Léa. Merlin nous a confié une mission. Allez, ce n'est pas si grave ! Presque personne ne t'a vu.

– Sa Majesté impériale et tous les enfants impériaux, toi, tu appelles ça « presque personne » ? Ils se sont bien moqués de moi.

– Ils n'ont pas voulu être méchants. Tu étais tellement drôle ! Une minute, je rajuste ta perruque. Voilà ! Tu peux remettre ton chapeau.

Tom obéit.

– Et range cette flûte !

Le garçon s'exécute en marmonnant :

– À quoi va-t-elle nous servir ? Il n'y a aucun danger, dans ce palais. D'ailleurs, qu'est-ce qu'on fabrique ici... ?

– On prend part à une fête. Et on cherche un grand artiste. Allez, on y retourne !

Tom suit sa sœur à contrecœur.

Ils traversent de nouveau une enfilade de salons. Ils suivent les invités qui se dirigent vers une grande porte ouverte. On entend un brouhaha de conversations et des notes de musique.

Tom s'arrête. Léa le retient :

– Ne t'inquiète pas. On va se fondre dans la foule.

– Oui, mais, Sa Majesté impériale et ses enfants... ?

– Ils ne s'occuperont pas de nous, il y a bien trop de monde ! Viens !

Et tous deux franchissent le seuil.

À peine entrés, ils lâchent une exclamation admirative. La salle est aussi vaste qu'un terrain de foot ! D'immenses fresques ornent le plafond, il y a des dorures partout. Le long des murs blancs, de hauts miroirs reflètent les flammes de centaines de bougies.

Tandis que des musiciens jouent de la harpe et du violon, les convives se pressent autour des longues tables du repas, bavardant et riant. Les diamants et les rubis scintillent au cou des femmes, qui agitent leurs éventails. L'air est empli de l'odeur des roses et des poudres parfumées.

– Bon, déclare Léa, rappelle-toi notre mission : nous devons guider un grand artiste sur le bon chemin, afin qu'il fasse profiter tout le monde de son talent.

– D'abord, il faut le trouver…

– Exact. Faisons le tour de la pièce.

Tom et Léa se faufilent dans la foule, examinant chaque invité.

« À quoi reconnaît-on un grand artiste ? », se demande Tom. Pour lui, ces gens si élégants se ressemblent tous un peu.

– Tom du bois de Belleville ? l'interpelle alors une voix enfantine.

Le garçon se retourne.

« Oh, non, pas lui ! », soupire-t-il intérieurement.

Le gamin en habit bleu, sa petite épée au côté, le regarde en souriant.

– Où étais-tu passé ? dit-il. Je t'ai cherché partout.

Léa s'approche :

– Bonjour. Comment tu t'appelles ?

– Wolfy.

– C'est un drôle de nom !

Wolfy lance un petit coup d'œil coquin à Tom :

– Tom du bois de Belleville aussi, c'est un drôle de nom ! Es-tu un clown ?

Léa pouffe, et Tom grogne :

– C'est ça, un clown.

La fillette se dépêche immédiatement de changer de sujet :

– Quel âge as-tu, Wolfy ?

– Six ans !

– Seulement six ans ? s'étonne Tom.

Lui, il lui en donnait juste quatre ou cinq.

À cet instant, une jeune fille avec une belle robe blanche brodée de motifs de roses s'avance vers eux. Léa la reconnaît : c'est elle qui leur a donnés des conseillés, quand ils attendaient leur tour de saluer l'impératrice.

– Bonjour, dit-elle. Je suis Maria-Anna, la sœur de Wolfy. Mais on m'appelle Nannerl.

Tom sent la rougeur lui monter aux joues. Cette fille l'a sûrement vu se rendre ridicule !

– Nan-nerl ? répète Léa, s'appliquant à bien prononcer.

La fille rit :

– Appelez-moi Nanne, c'est plus simple ! Wolfy et moi, on a beaucoup aimé votre petit numéro, Tom ! Vous pouvez être fier : il est très difficile de faire rire Sa Majesté impériale !

Le garçon se dandine d'un pied sur l'autre, embarrassé. Est-ce que Nanne se moque de lui ? Non, elle a l'air sincère.

Alors, il hoche la tête en silence. Il ne va surtout pas lui avouer qu'il n'a pas fait le clown exprès !

Léa interroge la jeune fille :

– Est-ce que vous appelez votre mère « Votre Majesté impériale » ?

Nannerl la dévisage, perplexe. Wolfy déclare :

– Non, on l'appelle « maman ».

– Mais..., reprend Léa, vous venez de parler d'elle en disant « Sa Majesté impériale »...

– Oh ! dit Nannerl, nous ne sommes pas ses enfants ! Notre mère est restée à la maison, à Salzbourg. Nous faisons partie des invités.

Léa n'y comprend plus rien :

– Pourquoi a-t-elle pris Wolfy sur ses genoux, alors ?

– Parce qu'elle m'adore ! pépie le gamin.

« Oh, celui-là... ! », pense Tom, agacé.

Nannerl fronce les sourcils :

– Ne te vante pas comme ça, Wolfy !

Puis elle explique :

– Wolfy a couru vers l'impératrice quand nous nous sommes présentés, et il a grimpé sur ses genoux. J'ai voulu l'en empêcher, mais Sa Majesté impériale l'a gardé.

– Et les enfants qui étaient derrière elle, s'enquiert Léa, c'étaient les siens ?

– Oui. Il y a Léopold, Ferdinand, Maximilien, Marie-Anne, Marie-Christine, Marie-Élisabeth, Marie-Amélie et aussi Marie-Josèphe, Marie-Caroline et Marie-Antoinette.

– Marie est un prénom très répandu, par ici, plaisante Tom !

Nannerl rit, et le garçon aime bien son rire. À ce moment, Wolfy lance :

– Eh, regardez-moi tous ! Je suis Tom le clown !

Il met sa perruque de travers, éternue, perd volontairement l'équilibre et tombe sur les fesses.

Léa s'esclaffe, tandis que son frère ronchonne :

– Ha, ha, très drôle…

Il en a plus qu'assez de Wolfy ! Mais sa sœur interroge Nannerl :

– Savez-vous si de grands artistes assistent à la fête ?

– Je n'en ai aucune idée. Je ne suis pas à Vienne depuis longtemps, je n'y ai encore rencontré personne. Mais papa dit que beaucoup de…

Elle est interrompue par Wolfy, qui saute sur ses pieds. De sa petite voix pointue, il clame :

– Je connais quelqu'un qui est un très grand artiste !

– Qui ça ? demande Léa.

– Moi !

Et le gamin la salue en soulevant son chapeau.

– Oh, Wolfy ! soupire sa sœur.

Tom se tourne vers elle :

– Qu'est-ce que vous alliez dire ?

Wolfy l'interrompt de nouveau :

– Nanne et moi sommes de grands artistes ! Papa nous enseigne l'histoire, la géographie, les mathématiques, l'escrime, la danse et la musique !

Pour ponctuer sa phrase, il lève un bras en l'air et esquisse un entrechat.

– Arrête, Wolfy, le gronde Nannerl.

« Oui, tiens-toi tranquille, sale gosse », maugrée Tom, de plus en plus agacé.

– Si on allait jouer dans le jardin ? propose alors Wolfy.

– On a autre chose à faire, le rembarre Tom.

Il voudrait bien que Nannerl lui en apprenne davantage. Il reprend :

– Vous parliez des artistes ?

– Ah, oui. Sa Majesté impériale en invite souvent à habiter au palais, pour y travailler.

– Formidable !

– Alors, certains sont là ce soir ? intervient Léa.

– Je ne sais pas. Le palais est immense. Il paraît que plus de mille cinq cents personnes vivent ici. Pourquoi voulez-vous rencontrer des artistes ?

– On est venus à cette fête parce qu'on a une mission…, commence Léa.

Son frère lui coupe vite la parole :

– Oui, on aime beaucoup les peintres, les sculpteurs, euh… tous ces gens-là.

Il rit afin de cacher son embarras. Nannerl rit aussi :

– Eh bien, après le goûter, je demanderai à papa s'il en connaît.

– Merci !

« Enfin ! pense le garçon. On tient peut-être une piste ! »

5

Mauvaises manières

Un valet passe en agitant une cloche. D'autres apparaissent, portant des plateaux en argent chargés de vaisselle fine.

Nannerl rajuste la perruque de son petit frère :

– C'est l'heure du goûter. Wolfy, allons retrouver papa.

– Je veux rester avec Tom et Léa du bois de Belleville, pleurniche le gamin. Je veux aller avec eux dans le jardin.

– Pas maintenant.

Nannerl le prend par la main et sourit.

– J'ai été contente de bavarder avec vous, dit-elle. J'espère qu'on se reverra, et que vous nous ferez encore rire, Tom !

– Oh..., euh... Oui, merci, bredouille le garçon. N'oubliez pas de demander à votre père s'il connaît des artistes, au palais. On pourrait se donner rendez-vous un peu plus tard, près de cette porte ?

– Oui, après le goûter, propose Nannerl.

– Ensuite, on ira jouer dans le jardin, insiste Wolfy.

– Non, réplique sa sœur. Toi et moi, nous aurons autre chose à faire, souviens-toi ! Allez, viens !

Elle entraîne le petit garçon, qui recommence à gémir :

– Mais je veux jouer avec Tom le clown !

Et tous deux disparaissent dans la foule.

– Tu lui as fait une grosse impression, dit Léa à son frère.

– Quelle chance ! grogne celui-ci.

Mais le valet continue d'agiter sa cloche. Tom et Léa suivent le flot des invités. Tous se dirigent vers les tables dressées pour le goûter.

– Où doit-on s'asseoir ? s'inquiète la fillette.

– N'importe où, du moment qu'on ne nous remarque pas…

Tom n'a aucune envie de se trouver trop près des enfants impériaux.

– Là-bas, au fond, ça sera bien, non ?

– D'accord.

Des gens s'approchent en bavardant. Tom et Léa se dépêchent de s'installer à table avant que toutes les places soient occupées.

Des plats ont déjà été déposés au milieu : des gâteaux de toutes sortes, des crèmes, du pain d'épice.

Tom sent l'eau lui venir à la bouche.

Il meurt de faim ! Il se penche vers sa sœur :

– Alors, voilà le plan : on goûte. Puis on va à notre rendez-vous avec Nannerl et on se met au travail.

– Mille pardons, Monsieur et Mademoiselle, les interpelle alors une voix pincée.

Les enfants redressent la tête. Derrière leurs chaises, un couple âgé les toise.

– L'impératrice en personne a décidé des places, dit l'homme. Et vous êtes assis sur nos chaises.

– De plus, renchérit la femme, personne ne s'assied avant que Sa Majesté impériale ne se soit assise elle-même.

Tom et Léa se dressent aussi vite que des diables hors d'une boîte.

– Oh, excusez-nous !

– On… on ne savait pas !

Tandis qu'ils quittent la table, Léa chuchote à son frère :

– Ce sont de mauvaises manières…

– Qui a de mauvaises manières ? Eux ou nous ?

La petite fille hausse les épaules :

– Nous, évidemment ! Je me demande où sont nos places.

– J'ai comme un mauvais pressentiment, grommelle Tom, tout en se grattant la tête. L'impératrice n'en a sûrement pas prévu pour nous.

À cet instant, les bavardages se taisent, la musique s'arrête : Sa Majesté impériale fait son entrée, suivie de ses enfants.

Tous les invités restent debout, silencieux, tandis que la famille impériale gagne la table centrale.

Tom souffle :

– Sortons tout de suite ! Dans une minute, on sera les seuls à ne pas pouvoir s'asseoir.

– Oui. Et ce n'est pas le moment de jouer aux chaises musicales…

– Tant pis pour le goûter ! Essayons de trouver où habitent les artistes du palais. On ne peut pas attendre que Nannerl pose la question à son père.

À l'instant où tous les convives s'assoient, Tom et Léa se faufilent vers la porte.

– Tom le clown ! lance alors une petite voix pointue.

Le garçon jette un coup d'œil par-dessus son épaule. Wolfy lui fait signe, depuis sa table.

Empoignant la main de sa sœur, Tom l'entraîne vite hors de la salle.

Ils traversent un élégant salon, puis un autre. Partout, ce ne sont que murs décorés d'or, plafonds peints de fresques, sièges garnis de velours rouge.

– Tom ! Léa ! Attendez-moi !

Le gamin les a suivis !

– Courons ! crie Tom.

La fillette retient son frère :

– Non, ce n'est pas gentil. Attendons-le !

– On a une mission à réussir, je te le rappelle. Il va nous ralentir.

– Du calme ! On va lui dire qu'on n'a pas le temps de jouer avec lui parce qu'on a… un rendez-vous très important.

– Bon, d'accord, soupire le garçon.

– Tom ! Léa !

Wolfy surgit, tout essoufflé. Lorsqu'il découvre les enfants, un sourire illumine son visage :

– Ah, vous êtes là, vous deux ! Pourquoi vous partez ?

– On a du travail, explique Tom. Tu ne peux pas venir.

– Mais je veux aller au jardin avec vous…, gémit le petit garçon, déçu.

Léa le prend par les épaules :

– Écoute, Wolfy. Tom et moi, on a quelque chose de très important à faire. Et on doit le faire seuls.

Le menton de Wolfy commence à trembler. Ses yeux brillent de larmes.

« Allons bon, pense Tom. Il va se mettre à pleurer ! »

– Oh, Wolfy, ne pleure pas, s'il te plaît, dit doucement Léa.

Une voix affolée retentit alors :

– Wolfy ? Wolfy ? Où es-tu ?

Nannerl apparaît dans la pièce :

– Pourquoi t'es-tu sauvé ? Papa est terriblement contrarié.

– Je… veux… jouer avec… Tom et Léa, hoquette le gamin.

Sa sœur le serre dans ses bras :

– Je t'en prie, Wolfy ! Tu as une grande responsabilité, ce soir, tu le sais ! Tu dois…

Le petit garçon tape du pied :

– Non ! Non, non et non ! Je ne veux pas jouer !

– Ça suffit, les caprices, Wolfy ! Ne fais pas ta mauvaise tête ! Surtout ce soir ! Papa en mourrait de honte !

Tom n'y comprend plus rien :

« Il veut jouer ou il ne veut pas jouer ? »

– Wolfy ? Wolfy ? Où es-tu ? appelle alors une voix grave.

– Il est ici, papa ! répond Nannerl.

Elle attrape son petit frère par la main.
Mais celui-ci lui échappe :

– Non ! Je ne veux pas jouer !

Et il sort en courant par une autre porte.

Un homme imposant apparaît à son tour :

– Où est Wolfy ? Où est mon fils ?

– Oh, papa, se lamente Nannerl. Il s'est enfui.

L'homme lève les bras en l'air dans un geste de désespoir :

– Il faut le retrouver ! Quel malheur, s'il n'est pas là ! Quel scandale !

Et il se précipite à la poursuite du fuyard, aussitôt suivi de Nannerl.

6

Danger dans le parc

– Ils sont bizarres, dans cette famille, constate Tom.

Puis il se frappe le front :

– Zut ! J'ai oublié d'interroger ce monsieur sur les artistes du palais…

– Il était trop affolé pour te répondre, de toute façon. Tâchons de trouver quelqu'un d'autre, qui nous renseignera.

Comme ils s'apprêtent à quitter le salon, Nannerl resurgit, hors d'haleine :

– Wolfy n'est pas repassé par ici ?

– On ne l'a pas vu, dit Léa.

La jeune fille supplie, au bord des larmes :

– Aidez-moi à le retrouver ! Papa va en mourir, si mon frère ne revient pas à temps.

– On aimerait vous aider, commence Tom, mais…

– S'il vous plaît !

Le garçon soupire :

– Bon, d'accord.

– Oh, merci ! Ce palais est si grand ! Cherchez de ce côté, je vais de l'autre. Il faut absolument qu'on le retrouve !

Et Nannerl repart en hâte.

Léa réfléchit :

– Je crois savoir où est allé Wolfy. Rappelle-toi ! Il voulait jouer dans le parc.

– Tu as raison. On y accède par la terrasse, tu sais. Celle où je me suis réfugié quand tout le monde se moquait de moi. Retournons-y !

Tom entraîne sa sœur dans l'enfilade des salons. Ils traversent la salle où se déroule le goûter. Les convives sont trop occupés à manger et à bavarder pour les remarquer. Ils pénètrent bientôt dans la pièce qui ouvre sur la terrasse.

Tom pousse la porte vitrée. L'air frais leur fait du bien, après une telle course. Le garçon ôte son chapeau et sa perruque afin de se gratter la tête. Ça soulage !

Léa promène son regard sur le parc.

– C'est tellement grand, souffle-t-elle. Tu crois que Wolfy est par ici ?

– Sûrement !

Le soleil éclaire un vaste jardin entouré de bosquets, orné de parterres de fleurs et de fontaines.

Le garçon appelle :

– Wolfy !

Pas de réponse.

– Viens, allons à sa recherche, décide Léa.

Retroussant ses jupons, elle s'élance sur les marches en marbre. Tom abandonne son chapeau noir et son encombrante perruque et se dépêche de suivre sa sœur.

Alors qu'ils courent dans une allée, un cri bizarre s'élève derrière les arbres :

Kiiiiiiih ! Kiiiiiiih !

Tom s'arrête net :

– Qu'est-ce que c'est ?

Soudain, une ombre furtive sort d'un buisson.

– Ah ! lâche Tom en reculant vivement.

Léa pouffe :

– Ce n'est pas la peine de paniquer, c'est un chat !

– Ouais, grogne le garçon. Mais ce cri, c'était quoi ? Certainement pas un miaulement !

Un bruit sourd résonne alors, tout près : *Poum, poum, poum…*

– Et là ? souffle Tom. Tu entends ?

– Un hibou, peut-être ?

– Tu as déjà entendu un hibou hululer comme ça… ?

Ker-loooo ! Ker-looooo !

Cette fois, Léa sursaute :

– C'est étrange… On se croirait dans la jungle.

– Wolfy ! appelle de nouveau le garçon.

Toujours pas de réponse. Rien que le bruit du vent dans les branches.

– Je n'aime pas beaucoup cet endroit, marmonne Tom. Wolfy ne se promène sûrement pas tout seul dans le parc. Allez, on rentre.

Léa le retient par la manche :

– Chut ! J'ai entendu quelque chose !

Les enfants tendent l'oreille. Une faible voix monte du fond des bois :

– Tom ! Léa !

Soulevant ses jupes, aussitôt, la petite fille se précipite dans cette direction :

– Wolfy ? Où es-tu ?

– Léa ! Attends-moi !

Tom s'apprête à suivre sa sœur quand de nouveaux *poum, poum, poum* retentissent, plus fort, plus près.

Le garçon se fige sur place : ce n'est certainement pas un hibou !

Kiiiiiiiiiiih !

Et ce cri, qu'est-ce que c'est ? Et Léa ? Où est-elle passée ?

– Léa !

Cette fois, Tom s'élance et file.

Il s'aventure prudemment dans la demi-obscurité qui règne sous les arbres. Soudain une forme noire saute d'une branche en piaillant :

Kiiiiiiiiiih ! Kiiiiiiiiih !

Un singe ! Un petit singe !

Ker-loooo ! Ker-looooo !

Le garçon se retourne. Une grue s'envole avec de lents battements d'ailes.

Léon ! Léon !

Un paon déploie sa queue aux couleurs chatoyantes. Puis, dans un bruissement de feuilles, une gigantesque silhouette apparaît, grognant et reniflant.

Un ours ! Un ours énorme dressé sur ses pattes de derrière !

Déchirant l'air de ses formidables griffes, l'animal s'avance vers Tom.

« C'est un cauchemar, tente de se persuader celui-ci. Je vais me réveiller… »

Le garçon recule lentement, pas à pas. Puis il pivote sur ses talons et file à toutes jambes. Il entend des branches qui craquent dans son dos au passage de la bête.

Tout à coup, une sorte de chien traverse le sentier. Tom le reconnaît aussitôt : c'est une hyène ! Ils en ont vu, Léa et lui, dans les plaines d'Afrique[1].

« Mais que se passe-t-il donc, ici ? », se demande le garçon, médusé.

À cet instant, il distingue la voix de sa sœur :

– Tom ! Je suis là !

Léa s'est cachée derrière un arbre.

Tom court la rejoindre et s'aplatit à son tour contre le tronc.

1. Lire *Dans la gueule des lions* (Cabane magique, n° 14).

Les cris féroces de l'ours se rapprochent. Le sol tremble sous ses pattes.

– Un ours énorme me poursuit ! halète le garçon.

– Je sais, je l'ai vu.

– Et le singe, l'hyène, la grue, tu les as vus ? Qu'est-ce que c'est que cet endroit ?

Léa secoue la tête :

– Je n'en sais rien. Oh, regarde !

Une autruche traverse le sentier, suivie d'une gazelle, qui disparaît dans le bois d'un pas gracieux. Puis le paon apparaît ; il fait la roue et se pavane avec orgueil.

– On se croirait au zoo, marmonne Tom.

– Mais oui ! comprend soudain Léa. Rappelle-toi ce que nous a raconté Joseph, le cocher ! Il y a un zoo, dans le parc. Voilà d'où viennent ces bêtes !

– Sauf que, dans un zoo, les animaux sont enfermés, objecte le garçon. Ils ne se promènent pas en liberté.

Une petite voix s'élève alors, tout près :

– Tom ? Léa ? Au secours !

– C'est Wolfy ! s'écrie Léa. Je te parie qu'il s'est amusé à ouvrir les cages !

– Ce gamin est complètement fou, grogne Tom entre ses dents.

Sa sœur s'est déjà engagée sur le chemin.

– Il faut le ramener au palais ! dit-elle.

Ils s'enfoncent dans la forêt, passant de l'ombre à la lumière, qui filtre à travers les feuilles.

Brusquement, Léa s'arrête. Sans un mot, elle pointe le doigt devant elle.

Wolfy est assis dans un chêne, entre deux grosses branches. Au pied de l'arbre, un grand animal au pelage tacheté gronde, prêt à bondir.

– Un léopard ! souffle Tom.

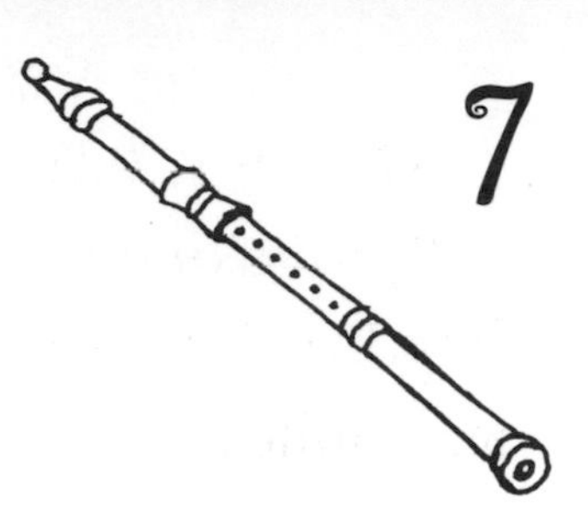

7

Musique et magie

– Va-t'en ! crie le gamin au fauve. J'ai une épée ! Tu ne me fais pas peur !

Il y a peu de chance que la minuscule arme de Wolfy effraie un léopard ! Mais Tom et Léa n'osent pas bouger. S'ils se montrent, la bête va les attaquer.

Léa tapote le bras de son frère pour attirer son attention. Puis elle désigne la poche du garçon, lève les mains et imite un joueur de flûte.

La flûte magique ! Tom l'avait oubliée ! Il se rappelle alors les paroles de Teddy :

Les notes tirées de cet instrument vous protégeront du danger.

« Un air de musique contre un fauve en colère ? », s'interroge-t-il, pas très convaincu.

Sa sœur lui chuchote :

– Si tu souffles dedans, elle jouera toute seule. Moi, je vais chanter. C'est ce que Teddy et Kathleen nous ont expliqué, tu te souviens ?

Le garçon fait signe qu'il a compris. Il sort la flûte de sa poche et la porte à ses lèvres. Il n'est pas très sûr de la tenir comme il faut ; malgré tout, fermant les yeux, il souffle doucement. Un son très pur s'élève, aussi léger qu'une plume emportée par le vent.

Aussitôt, Léa improvise :

Léopard, beau léopard,
Écoute notre chanson !

Les oreilles dressées, le fauve tourne son regard d'or vers les enfants. La petite fille continue :

Beau léopard, suis-nous !
Suis Léa et le clown !

« Le clown ? pense Tom. C'est de moi qu'elle parle ? »

Ces paroles ne lui plaisent guère, mais ce n'est pas le moment de protester. L'animal a fait demi-tour ; il avance vers la chanteuse et le musicien. Tom est tellement terrorisé qu'il manque de prendre la fuite. Pourtant, il ne doit pas cesser de souffler. Si l'instrument se tait, la magie cessera.

Léa tire sur la manche de son frère ; tous deux s'engagent à pas lents sur le sentier.

Le léopard les suit, sur ses grosses pattes silencieuses, tandis que la fillette invente à mesure :

Wolfy, Wolfy, descends de ton arbre !
Wolfy, suis-nous !
Suis Léa et le clown !

Bravement, le petit garçon obéit. Sautant à terre, il marche derrière le fauve et ses deux amis.

Ils progressent entre les arbres. Vers où se dirigent-ils ? Tom n'en a aucune idée.

Il sait seulement qu'il doit continuer de jouer, que sa sœur doit continuer de chanter, et qu'ils doivent tous continuer d'avancer.

Des branches craquent. Voilà l'ours qui sort des fourrés en grognant. Tom joue, Léa chante :

Ours, gros ours !
Pas la peine de grogner !
Suis-moi, suis-nous !
Suis Léa et le clown !

Et l'animal les suit en se dandinant.

Il semble à Tom que le soleil n'a jamais brillé ainsi. Cette musique magique donne à sa lumière l'éclat de l'or pur.

Puis le rire de l'hyène s'élève derrière eux. Tom joue, Léa chante :

Hyène, hyène rieuse,
Ne te cache pas !
Hyène, suis-moi !
Suis Léa et le clown !

Alors apparaissent la gazelle, l'autruche et le paon.

Tom joue toujours, et Léa chante pour les nouveaux venus :

Bonjour, gazelle ! Bonjour, autruche !
Bonjour à toi, oiseau couronné !
Suivez-moi, suivez-nous !
Suivez Léa et le clown.

Tom entend Wolfy glousser de joie.

Il se retourne. Le gamin a ramassé un bâton et il agite les bras comme un chef d'orchestre avec un sourire ravi.

Bientôt, d'autres animaux sortent du bois et se joignent au cortège : un lapin, un babouin, un renard, un écureuil, un boa et un perroquet.

À présent, ils remontent la grande allée du jardin. Le palais se dresse devant eux, avec ses dizaines de fenêtres étincelantes.

Les questions se bousculent dans la tête de Tom : jusqu'où vont-ils emmener cette ménagerie ? Où est le zoo ? Comment vont-ils remettre les bêtes dans leurs cages ?

Mais Léa a une autre idée. Elle chante :

Vers vos plaines et vers vos forêts,
Où vous vivez en liberté,
Vers vos pays proches ou lointains
Retournez ! Courez ! Volez !
Partez ! Partez !
Et dans vos cages jamais ne revenez !

Au fil de la chanson, les animaux se volatilisent dans les airs. Le léopard, l'ours, l'hyène, l'autruche et la gazelle, le babouin, le boa et le perroquet, tous disparaissent un à un. Les seuls à rester sont ceux qui habitent le bois et les jardins du palais.

Tom cesse de jouer, Léa de chanter et Wolfy de battre la mesure. Le soleil est

redevenu un simple soleil d'automne. Dans le silence, on entend de nouveau les branches chuchoter.

– Où sont parties toutes les bêtes ? s'étonne Wolfy.

– Chez elles, répond la fillette.

– Je suis content. Je voulais qu'elles soient libres.

Tom range la flûte dans sa poche, puis il soupire :

– Écoute, Wolfy ! N'aide plus jamais les pensionnaires d'un zoo à s'échapper ! C'est dangereux.

– Je ne le ferai plus, promis ! Mais comment les avez-vous obligés à vous suivre ?

– Ce n'est pas nous, c'est la musique. Elle était magique, explique Léa.

Le gamin la considère d'un air songeur :

– La musique est toujours magique. J'aime la musique.

– Ah ? Oh..., c'est bien, bredouille Tom.

– Je l'aime plus que tout au monde, insiste Wolfy.

Et il se met à sautiller en claquant joyeusement des mains.

« Il est vraiment bizarre, ce gosse », pense le garçon.

À cet instant, une cloche sonne.

– Cinq coups, compte Léa. Il est cinq heures.

Wolfy arrête aussitôt ses gambades, l'air paniqué :

– Déjà ? Oh, non !

Attrapant les enfants par la main, il les entraîne en direction du palais :

– Vite ! Venez avec moi ! Il ne faut pas que je sois en retard !

– En retard pour quoi ? questionne Tom, intrigué.

Avant que le petit garçon ait le temps de répondre, une voix anxieuse l'appelle :

– Wolfy ? Wolfy ? Où es-tu ?

C'est Nannerl, penchée à la balustrade, sur la terrasse.

– La pauvre Nanne ! gémit Wolfy. Elle m'attend, papa m'attend, le monde entier m'attend !

8

La salle des glaces

Wolfy court à toutes jambes en direction du palais. Tom se tourne vers sa sœur :

– Le monde entier l'attend ? Il exagère !

– Viens, fait Léa en riant. Suivons-le.

Wolfy est déjà sur la terrasse :

– Me voilà, Nanne !

La jeune fille se précipite à sa rencontre et le serre dans ses bras :

– Mais où étais-tu passé ?

– Je me suis promené dans le parc. Oh, Nanne, j'ai vu une chose extraordinaire ! Il faut que je te raconte…

– Plus tard ! On n’a pas le temps.

Nannerl rajuste la perruque de son petit frère et brosse sa veste. Le gamin désigne Tom et Léa, qui arrivent sur la terrasse :

– Tu sais, j’en avais assez de la musique. mais grâce à eux, je l’aime de nouveau. La musique, c’est magique !

– Tant mieux, soupire Nannerl. Papa nous attend dans la salle des glaces. Dépêchons-nous !

Et elle entraîne Wolfy vers le palais. Celui-ci lance par-dessus son épaule :

– Tom ! Léa ! Venez avec nous !

– Ne t’inquiète pas, on arrive tout de suite ! lui promet Léa.

Laissant Nannerl et Wolfy pénétrer dans le palais, la fillette secoue sa robe pour faire tomber les feuilles et les brindilles accrochées au tissu. La dentelle de son jupon pendouille, les rubans de son corsage sont dénoués.

Tom ne vaut guère mieux, avec ses chaussures pleines de terre et le bas de son pantalon déchiré. Il retrouve son chapeau et sa perruque, qu'il avait abandonnés sur la terrasse. Il les remet sur sa tête.

– Bon, fait-il. Maintenant, il faut qu'on trouve un artiste !

– Et Wolfy ? Il nous attend.

– Tant pis ! On n'a plus du tout le temps de jouer avec lui.

– Mais je lui ai promis…, insiste Léa.

Le garçon l'interrompt, agacé :

– On ne va pas passer notre vie à lui courir après ! On a gaspillé notre magie, à cause de ses bêtises. La flûte ne peut servir qu'une seule fois, tu t'en rappelles ? Et on n'a même pas commencé notre mission !

– D'accord, d'accord, marmonne Léa. Allons au moins leur dire au revoir, à lui et à Nannerl.

– En vitesse, alors, consent Tom, résigné.

Traversant la terrasse, ils entrent dans le palais. Léa s'adresse à une servante :

– Excusez-moi ! Où se trouve la salle des glaces ?

La femme examine les vêtements en désordre des enfants d'un air réprobateur avant de leur indiquer :

– Allez tout droit, traversez trois salons et vous y êtes.

Tous deux se hâtent dans l'enfilade des pièces. Arrivés à une grande porte, ils l'ouvrent. Les voilà sur le seuil de la salle des glaces.

Les murs sont garnis de hauts miroirs. Des rangées de chaises ont été disposées pour les invités. Au premier rang sont assis Sa Majesté impériale et ses enfants. Debout dans un angle se tiennent Wolfy, sa sœur et son père. Dès qu'il aperçoit les enfants, Wolfy s'écrie :

– Tom ! Léa ! Venez !

Tom n'a qu'un désir, c'est de refermer la porte et de faire demi-tour. Mais sa sœur le pousse.

– Regardez-moi ! leur lance le gamin.

Il s'avance en sautillant. Plaçant une main sur son cœur, il s'incline devant l'assistance.

Puis il file se percher sur un siège, face à une sorte de piano d'allure ancienne. Ses courtes jambes n'atteignent même pas le sol.

Calmement, Wolfy se penche vers le clavier. Il commence à taper doucement sur les touches d'un seul doigt.

Tom n'y comprend rien. Pourquoi ces gens l'écoutent-ils si attentivement ? Il remarque alors une chose très étrange : la mélodie qui s'élève est celle que la flûte magique a jouée au parc !

Dans le public, personne ne bouge. Wolfy tape maintenant avec deux doigts, puis trois. Il a tout à fait perdu ses mines de gamin capricieux ; son visage est grave, concentré.

Soudain, les mains de Wolfy se mettent à voler au-dessus des touches noires et blanches, tandis qu'il improvise autour du thème de la flûte.

Tom est stupéfait. Comment un enfant de cet âge peut-il jouer aussi bien ? Les sons qui s'élèvent de l'instrument sont parfois légers, joyeux ; ils donnent envie de danser. Parfois, ils ralentissent et semblent murmurer.

À ces moments-là, Tom ferme les yeux, étrangement ému.

Wolfy achève son morceau en plaquant des accords avec brio. Puis il saute de son siège pour saluer.

Les applaudissements explosent.

Le jeune virtuose salue encore et encore. À chaque fois, les bravos s'élèvent, et les applaudissements redoublent.

Enfin, redevenant d'un coup un tout petit garçon, Wolfy court enfouir son visage dans la veste de son père :

– Papa !

Celui-ci serre son fils contre lui, les larmes aux yeux.

Dans la salle, les invités échangent leurs impressions avec enthousiasme :

– Un miracle ! Une merveille !

– Je n'en ai pas cru mes oreilles !

– Six ans et déjà si talentueux !

Nannerl s'approche des enfants :

– Merci d'avoir ramené Wolfy à l'heure !

– Depuis combien de temps ton frère joue-t-il du piano ? demande Léa.

– Papa a commencé à lui apprendre quand il avait trois ans. Maintenant, Wolfy compose tout seul sa propre musique. Il dit qu'il entend des airs dans sa tête. Celui qu'il a interprété ce soir au clavecin, je ne l'avais jamais entendu.

À cet instant, le silence revient dans l'assistance. Sa Majesté impériale s'est levée, elle s'avance et prend la main de Wolfy dans les siennes.

– Je vous remercie pour ces merveilleux moments, Wolfgang Amadeus Mozart, lui dit-elle.

Tom en reste bouche bée. Mozart ? Ce petit garçon capricieux, c'est le grand Mozart ? Incroyable ! Leurs parents écoutent souvent des CD de ses œuvres. Ils ont même emmené Tom et Léa à un concert où l'on jouait du Mozart.

L'impératrice s'est tournée vers ses invités et déclare solennellement :

– Nous nous souviendrons, j'en suis sûre, de cette soirée dans les années futures. Notre jeune Wolfgang nous a donné une preuve éclatante de son immense talent. Souhaitons qu'il en fasse bientôt profiter le monde entier !

Léa pousse son frère du coude.

– Tu as entendu ça ? souffle-t-elle.

Tom hoche la tête, un sourire jusqu'aux oreilles.

Nannerl les remercie encore. Juste avant de partir, elle se ravise :

– Oh ! J'ai questionné papa à propos des artistes. Il m'a répondu qu'ils vivaient dans un autre palais de Vienne. Désolée !

– Ça ne fait rien, la rassure Léa.

Tandis que la famille Mozart s'éloigne, la petite fille lance un clin d'œil à son frère :

– Eh bien, on l'a trouvé, notre grand artiste ! On était avec lui depuis le début !

9

Spectacle de clown

– Wolfgang Amadeus Mozart ! répète Léa. C'est vraiment incroyable !

– Eh oui, soupire Tom. Pour l'instant, il n'est encore qu'un enfant.

– On a accompli notre mission. Tu te rappelles ce qu'il a dit à Nannerl : que, grâce à nous, il aimait de nouveau la musique ? On l'a guidé sur le bon chemin, afin qu'il fasse profiter le monde entier de son talent. C'est ce que désirait Merlin.

Le garçon hoche la tête.

– Maintenant, on peut s'en aller. Ouf !

Il a hâte d'ôter cette atroce perruque qui le gratte, de rentrer chez lui et de se mettre à table !

– Oui. Allons dire au revoir à Wolfy.

À ce moment, le rire de l'impératrice s'élève :

– Vous êtes un magicien, mon petit Wolfgang !

– Oh, non, réplique le gamin. Ce sont eux les vrais magiciens !

Désignant les enfants du doigt, il appelle :

– Tom ! Léa ! Venez par ici !

Tous les regards se tournent vers eux.

– C'est Tom du bois de Belleville ! Tom le clown ! s'exclame une des filles de l'impératrice.

Le garçon se fige :
« Oh, non ! Ça ne va pas recommencer ! »
Mais Wolfy reprend :
– Tom joue des airs magiques sur sa flûte. Et Léa chante des chansons magiques. Je les ai entendus.

Sa Majesté impériale hausse des sourcils étonnés :

– Vraiment ? Eh bien, Tom et Léa du bois de Belleville, voulez-vous jouer et chanter pour nous ?

L'assistance se tait, attendant la réponse des jeunes artistes.

– Euh… C'est que…, bégaie Tom.

Sa sœur esquisse alors une révérence et déclare avec un grand sourire :

– Certainement, Votre Majesté impériale ! C'est un immense honneur.

« Elle est folle ! », pense Tom, paniqué.

– Oui ! Oui ! Allez-y ! se réjouit Wolfy en applaudissant.

Il court prendre ses amis par la main et les entraîne devant les rangées de sièges. Tout le monde se rassied. Voilà Tom et Léa face aux invités du palais.

La petite fille chuchote à l'oreille de son frère :

– Tu joues, et je chante.

– Mais la magie de la flûte ne marche qu'une fois, objecte Tom.

– Aucune importance ! Fais simplement de ton mieux !

C'est bien pire que d'affronter un ours ! Le garçon parvient à peine à respirer.

Il extirpe l'instrument d'argent de sa poche et le porte à sa bouche, tandis que sa sœur improvise une chanson :

Dans une calèche nous sommes arrivés,
En perruque et robe à paniers,
À Vienne, en ce beau palais,
Le clown et moi !

Tom souffle dans le bec, dans l'espoir que son instrument contienne encore un peu de magie.

Aucun son n'en sort. On n'entend que des *pfff pfff* et des *fffutt fffutt*...

Wolfy n'arrête pas de glousser :

– Bravo, Tom le clown !

Des rires montent de l'assistance.

« Très bien, s'énerve le garçon. Ils veulent des clowneries ? Ils vont en avoir ! »

Il retourne la flûte, la soulève et regarde dedans, faisant mine de se demander où est passé le son.

Puis il rejette vivement la tête en arrière comme si quelque chose lui était tombé dans l'œil.

Le public rit plus fort.

Cette fois, ces rires font plaisir à Tom.

Il se frotte l'œil avec exagération, puis se tourne vers sa sœur avec un sourire niais.

Celle-ci lève les bras au ciel et se remet à chanter :

Mon frère est un peu idiot,
Il a de l'air dans le cerveau.
Je ne comprends pas pourquoi
J'ai toujours ce clown avec moi !

Tom prend un air fâché ; il lui tape sur le crâne avec la flûte. Puis il essaie encore de jouer.

De nouveau on entend des *pfff pfff* et des *fffutt fffutt*. Le garçon secoue l'instrument, il regarde dedans, le secoue encore : serait-il bouché ?

Léa pousse un soupir faussement exaspéré. D'un signe, elle invite son frère à la suivre et se dirige vers la sortie en chantant :

Il est temps de s'en aller,
Temps de quitter ce palais !
Au revoir, au revoir !
Finies les clowneries pour ce soir !

Tom lui emboîte le pas en faisant courir ses doigts sur la flûte et en imitant le son de l'instrument :

– *Tilitilititti tututu turlututu !*

De nouveaux rires montent de l'assistance. Voyant Nannerl pouffer dans sa main, le garçon improvise aussitôt un pas de danse :

– *Turlutititi tirlitututu !*

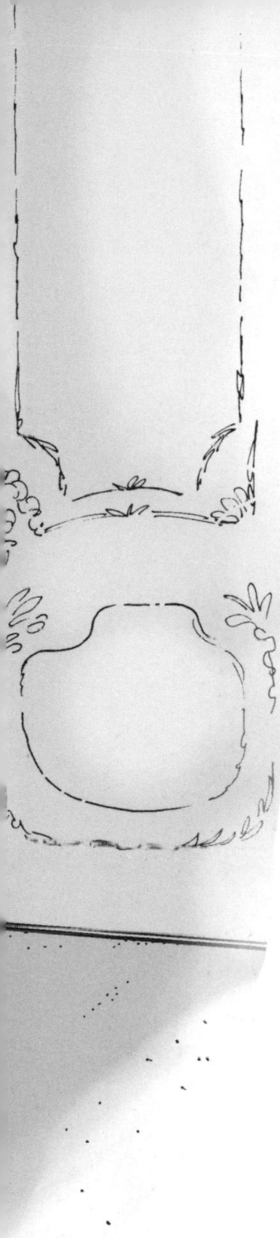

Arrivés devant la porte, les enfants s'arrêtent et saluent. Des applaudissements éclatent.

Léa envoie un baiser au petit garçon :

– Au revoir, cher Wolfy ! Tu vas devenir un grand musicien !

– Au revoir ! lance à son tour Tom. Le monde entier connaîtra bientôt ton talent !

– Au revoir, Tom ! Au revoir, Léa ! crie Wolfy. Je ne vous oublierai jamais.

Tom et Léa saluent de nouveau. Puis la petite fille entrouvre le battant, et ils se glissent hors de la salle.

10

La flûte enchantée

– Filons ! lâche Tom.

Ils retraversent les salons au pas de course. Les voilà dans celui qui donne sur la terrasse. De là, ils retrouvent le chemin du Grand Salon rose, où ils ont été reçus. Les centaines de chandelles ont presque entièrement fondu. Les voilà enfin dans le hall d'entrée.

– Bonsoir, souhaite Léa aux gardes qui se tiennent face à la porte.

Ceux-ci s'inclinent et leur ouvrent tout grand le battant.

Toujours courant, les enfants dévalent l'escalier qui mène à la cour de devant. Une file de calèches attend la sortie des invités. Parmi les cochers, Léa reconnaît Joseph, tenant les rênes de ses chevaux blancs. Elle s'élance vers lui :

– Joseph !

– Ah, vous voilà mes jeunes amis ! Vous partez déjà ?

– Oui, nous devons rentrer chez nous. Pouvez-vous nous reconduire jusqu'à la grille ?

– Bien sûr ! Montez ! Je serai de retour ici avant que mes maîtres quittent le palais.

Dès que Tom et Léa sont installés, Joseph secoue les rênes, et les chevaux prennent le trot.

– Racontez-moi, Mademoiselle, reprend Joseph. Comment s'est passée la fête ?

– C'était absolument magnifique ! Nous avons été présentés à l'impératrice. La salle était éclairée par des centaines de bougies. Nous nous sommes fait des amis, nous avons vu les animaux du zoo, écouté un concert incroyable. Il y a même eu un spectacle de clown.

– Vraiment ? Vous avez ri ?

– Oh, oui ! déclare Tom. Ce clown était très drôle !

Léa pouffe. La calèche franchit les grilles et s'arrête dans la rue pavée.

– Où voulez-vous que je vous conduise ? s'enquiert Joseph.

– Oh, ici, c'est parfait, lui assure Léa. Merci beaucoup !

Tandis qu'ils descendent de voiture, le cocher se penche du haut de son siège :

– Vous êtes vraiment des enfants très mystérieux ! Vous êtes apparus de je ne sais où et allez disparaître avec le soir !

– C'est parce que nous sommes des magiciens, lui confie Léa.

Joseph soulève son chapeau en riant.

– Ah ! ah ! Je n'en doute pas ! Au revoir, jeunes gens !

– Au revoir, Joseph !

Au claquement de rênes, les deux chevaux s'ébranlent. La calèche décrit un arc de cercle et s'éloigne tout en cahotant.

Tom et Léa courent vers les arbres qui bordent la rue. L'échelle de corde pend sur l'un des troncs. Dès qu'ils sont dans la cabane, ils vont regarder une dernière fois le beau palais éclairé par le soleil couchant.

– Au revoir, Wolfy, murmure Léa, accoudée à la fenêtre.

– Bonne chance, grand petit musicien ! ajoute Tom.

Le garçon sort de sa poche l'enveloppe qui contenait le carton d'invitation. Il désigne les mots *Bois de Belleville* et prononce la phrase habituelle :

– Nous souhaitons être ramenés ici !

Le vent se met à souffler, la cabane à tourner.

Elle tourne plus vite, de plus en plus vite.

Puis tout s'arrête, tout se tait.

Tom ouvre les yeux et il soupire de soulagement : ils sont de retour dans leur bois, et ils ont retrouvé leurs vêtements de tous les jours.

Le garçon tient la flûte magique.

Léa est déjà au bord de la trappe :

– On y va ?

Tom va poser l'instrument dans un coin. Puis il suit sa sœur le long de l'échelle.

Il est de si bonne humeur qu'il a envie de sautiller.

Le soleil descend derrière les arbres, posant sur le sol des taches de lumière dorée. Un parfum de printemps emplit le bois.

Les enfants remontent le sentier. Les voilà dans la rue. Ils traversent leur jardin, passent sous le porche et poussent la porte :

– On est là ! annonce Léa.

La voix de leur père leur parvient depuis la cuisine :

– Alors, à table, le dîner est prêt !

– Juste une minute ! dit Tom.

Il fait signe à sa sœur de le suivre, va s'asseoir devant l'ordinateur et tape : *Mozart.*

Il y a deux millions quatre cent mille entrées !

– Waouh ! lâche Léa.

Tom clique sur l'une d'entre elles au hasard et lit :

Dès l'enfance, Wolfgang Amadeus Mozart fut un musicien célèbre.
Son père, un grand compositeur, l'emmena en tournée en Europe alors qu'il n'avait que six ans.
Il eut alors l'honneur de jouer à Schönbrunn, devant l'impératrice Marie-Thérèse.
Il écrivit son premier opéra à l'âge de onze ans.
Au cours de sa vie, il composa plus de huit cents œuvres.
Sa musique ne cessera jamais d'être jouée dans tous les pays du monde.

Tom bouge la souris pour dérouler le texte. Soudain, il s'exclame :

– Écoute ça !

L'un de ses opéras les plus connus est *La flûte enchantée.*

Léa échange avec son frère un sourire ému :

– Tu vois, Wolfy a tenu sa promesse. Il n'a pas oublié notre rencontre !

Fin

Si tu as envie de nous donner
tes impressions sur la série
ou de nous parler de tes propres voyages
réels ou imaginaires,
n'hésite pas à nous écrire !

N'oublie pas d'écrire
ton nom et ton adresse sur la lettre !